LE
CHAT
FANTÔME

À Matis.
A. C.

Éditions Play Bac, 14 bis rue des Minimes, 75003 Paris ; www.playbac.fr

kinra girls

IDALINA

KUMIKO

Kumiko est japonaise. C'est une peintre talentueuse, qui aime aussi la photo et la mode.

Idalina est espagnole. Elle joue de la guitare et c'est une superbe chanteuse de flamenco.

LE CHAT FANTÔME

MOKA

ILLUSTRATIONS
ANNE CRESCI

playBac

VOCABULAIRE

Annin nglelurumi gelane (en aborigène) :
« aie confiance, mon frère ».

Bora (en aborigène) :
cérémonie sacrée chez les Aborigènes.

**Estando el señor don Gato
Sentadito en su tejado** (en espagnol) :
Voici monsieur le Chat
Assis sur son toit.

Flamenco (en espagnol) :
une musique et une danse populaires
d'Andalousie.

Forever (en anglais) :
pour toujours.

Girls (en anglais) :
filles.

El gato (en espagnol) :
le chat.

My dear (en anglais) :
ma chère, mon cher.

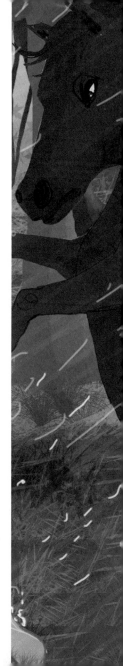

LE COSTUME DE FLAMENCO

Le flamenco désigne une musique et une danse populaires d'Andalousie (une région d'Espagne). Il est dansé et chanté par les hommes comme par les femmes.

La tenue des Espagnoles pour danser le flamenco est une robe ornée de nombreux volants. Confortable, elle moule le haut du corps et s'élargit vers le bas. Les danseuses portent également un châle et des bijoux. La fleur dans les cheveux et le peigne, la *peineta*, sont indispensables.

© Nito/Fotolia

Les danseurs et les danseuses claquent des mains pour accompagner la danse, utilisent des castagnettes et tapent des pieds.

Pour les hommes, la tenue de flamenco se compose d'un pantalon à taille haute, d'une chemise comportant parfois des manches à volants, d'un gilet sans manches, d'un chapeau et d'un foulard autour de la taille.

© Anyka/Fotolia

L'ENCRE DE CHINE

L'encre de Chine est une encre utilisée pour l'écriture, le dessin et la peinture. Elle est réputée dans le monde entier pour sa qualité et le fait qu'elle soit presque ineffaçable et durable. C'est une encre très foncée qui ressemble à un vernis.

Cette encre se trouve sous forme liquide (en tube ou en pot) ou solide (sous forme de bâton). Elle peut être employée sur de nombreux supports : papier à dessin, carton, papier aquarelle, etc.

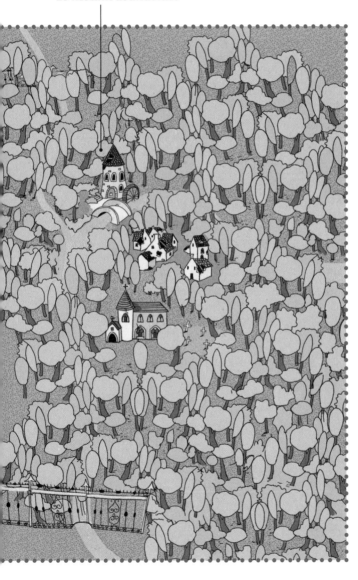

Le moulin abandonné

MICHELLE
ennemie
des Kinra Girls

RUBY
ennemie
des Kinra Girls

JENNIFER
ennemie
des Kinra Girls

MICKAEL
ami
des Kinra Girls

JOHANNIS
ami
des Kinra Girls

M. MEYER
le directeur

MISS DAISY
l'assistante
du directeur

EMMA
l'infirmière

MME BECKETT
le professeur
d'anglais

SIGNORA DELLA TORRE
le professeur
de chant

MME JENSEN
le professeur
de danse

MAÎTRE WANG
le professeur
de dessin

M. RAMOS
le professeur
de guitare

M. BROWN
le professeur
de mathématiques

M. TREMBLAY
le professeur
des arts du cirque

RAINER
le professeur
d'équitation

NOUS SOMMES TOUS DIFFÉRENTS, DONC TOUS EXCEPTIONNELS.

PROVERBE ARAMÉEN.

Chapitre 1
Coup de cafard

Naïma traînait les pieds dans le couloir. Elle se sentait bien triste soudain. Elle venait de parler au téléphone avec Erzulie, sa maman. Naïma lui avait raconté sa première semaine à l'Académie internationale Bergström. Tout était tellement incroyable ! Elle apprenait les arts du cirque sous un vrai chapiteau ! Son professeur possédait un perroquet nommé Bob qui était trop marrant ! Naïma, l'Afro-Américaine, avait fait la connaissance de quatre filles géniales. Rajani l'Indienne, Kumiko la Japonaise, Alexa l'Australienne et sa colocataire adorée, Idalina l'Espagnole. Mais comme elle avait juré de garder le secret, Naïma n'avait rien dit sur le code Mullee Mullee[1]. Le récit des nouvelles bêtises inventées par ses petits frères l'avait beaucoup fait rire. Et puis voilà… maintenant, elle avait un cafard monstre. Quand Naïma entra dans la chambre, Idalina était penchée sur sa table et écrivait.

— Pfout ! soupira celle-ci sans lever les yeux. Alexa a envoyé un message et j'ai un mal fou à le traduire ! C'est super dur de mémoriser le code Mullee Mullee ! Comme Naïma ne répondait pas, Idalina se retourna.

— Oh, toi, ça ne va pas ! Y a pas de

---

1. *Ensemble de signes inventés par Alexa et utilisés par les Kinra Girls pour écrire des messages secrets. Voir page 138.*

problème chez toi, j'espère ?

Naïma secoua la tête, renifla et s'effondra
sur son lit.

— Les jours ont passé tellement vite, je ne
me suis pas rendu compte… Je ne vais pas
revoir ma famille avant très longtemps !
C'est horrible comme ils me manquent
tous ! En plus, j'ai raté l'anniversaire
de ma cousine.

Idalina ne supportait pas de voir son amie
aussi malheureuse. Pour l'amuser, elle prit le
doudou de Naïma, Madame Chaussette, et
l'enfila sur son bras. D'une petite voix aiguë,
elle s'exclama :

— Hé ! C'est Idalina la pleurnicheuse, ici !
Qu'est-ce qu'elle va devenir si tu n'es pas
là pour la secouer quand elle se plaint ?

— Je crois qu'on a besoin de se plaindre,
de temps en temps.

— Ça, c'est une bonne idée ! répondit

Madame Chaussette. Les Kinra
Girls devraient tenir une
réunion rien que pour ça !

– C'est vrai que ça nous ferait
du bien ! approuva Naïma.

– Sérieux ? s'étonna Idalina.

– Ouais ! Madame Chaussette
a toujours raison !

– Alors, on va au 325 ?

Naïma acquiesça. 325 était le numéro de
la chambre de Rajani et Kumiko. En passant
dans le couloir, Idalina frappa à la porte
d'Alexa pour la prévenir. L'Australienne
ouvrit et croisa les bras, l'air fâché.

– Z'avez pas encore appris à vous
identifier ! Frapper deux coups,
puis trois ! Pas compliqué, non ?

Idalina fronça les sourcils.

– Mais c'était pas trois et après quatre ?

– Le week-end dernier, oui !

— On ne peut pas changer sans arrêt,
dit Naïma. On s'y perd à la fin !

— Ouais, bon... Une fois par mois, alors.
Quoi de neuf, les *girls*[2] ?

— *Bora*[3], murmura Idalina. On va dans
la chambre de Rajani et Kumiko.

— Super, je vous suis !

Alexa regarda tout autour d'elle. Les lieux
semblaient déserts mais on n'était jamais
trop prudent... Kumiko fut ravie de leur
arrivée. Rajani avait décidé de nettoyer la
salle de bains du sol au plafond et il était
hors de question que Kumiko ne l'aide pas !

— Sauvez-moi ! supplia la Japonaise.
Ma coloc est une dangereuse tueuse en
série ! Elle élimine sans pitié les taches
et les microbes !

— Très drôle, répliqua Rajani.
Si tu t'imagines que tu vas te défiler...

2. Girls *(en anglais) : filles.*
3. Bora *(en aborigène) : cérémonie sacrée chez les Aborigènes.*
Signifie « réunion secrète » pour les Kinra Girls.

Qu'est-ce qui vous amène ?

– On est venues parce qu'on a le cafard
et qu'on préfère pleurer avec nos
meilleures copines, expliqua Idalina.

– Quoi ? cria Alexa. Vous convoquez
une *bora* pour ça ? Vous rigolez ?

– Pas du tout, dit Naïma. Peut-être
que toi, tu ne souffres pas d'être loin
de ta famille, mais nous, si.

– Vous n'êtes pas possibles, les filles !
protesta Alexa. Ma pauvre Kumiko, on
est bien entre l'obsédée du ménage et
les deux malheureuses ! On est samedi !
Samedi ! Et on n'est même pas encore
allées ensemble au moulin abandonné !

– L'obsédée te fait remarquer qu'il pleut à
verse depuis des heures, rétorqua Rajani.
Levez la main celles qui ont envie de se
casser une jambe en glissant dans le bois ?
Personne ? Et de se noyer dans la rivière

en crue ? Hum ? Toujours personne ?

– Au moins, on ne risque pas d'être dévorées par les crocodiles, comme chez moi en Australie, grommela Alexa.

– Assises, les Kinra, ordonna Rajani. Vas-y, Naïma, on t'écoute.

L'Américaine parla de ses petits frères, les « garçons catastrophe » comme les appelait sa maman. Ils lui manquaient beaucoup, leurs bêtises la faisaient tellement rire ! Même si, parfois, ils étaient assez énervants... Naïma raconta ensuite pourquoi elle voulait devenir artiste de cirque. Son papa vendait des glaces et des hot dogs dans les fêtes foraines. Un de ses amis travaillait sur le grand huit. Celui-ci avait été clown dans sa jeunesse et il avait appris à Naïma à jongler et à marcher sur les mains. Il trouvait qu'elle était très douée. Il connaissait le directeur d'une école où

l'on apprenait les arts du cirque. Cette école
était payante et le papa de Naïma n'avait pas
d'argent. Grâce à l'ancien clown, on avait
accepté Naïma gratuitement. Une chance
formidable !

> – J'ai les meilleurs parents du monde,
> dit-elle en essuyant une larme.

Idalina prit la parole après elle et son récit
était un peu triste. Elle ne voyait presque
jamais son père qui était musicien. Sa sœur
aînée étudiait à l'université de Madrid et
elle revenait rarement à la maison. Idalina
vivait avec sa mère et sa tante, deux célèbres
danseuses de *flamenco*[4].

> – On danse et on chante toute la journée
> chez moi ! Je suis heureuse d'être ici.

Seulement, par moments, c'est très dur…
Rajani essayait de garder le sourire. Peine
perdue. Dès qu'elle prononça le nom de sa

---

4. Flamenco *(en espagnol)* : une musique et une danse
populaires d'Andalousie.

grand-mère Karisma, sa gorge se serra.

– Vous allez réussir à me filer votre cafard si ça continue ! s'exclama Alexa. J'adore ma famille, mais ça me fait un bien fou d'être loin d'elle ! C'est sûr, parfois je pense à mon pote Jimmy et… heu…

Alexa s'interrompit brusquement, les yeux dans le vague.

– Jimmy ne serait pas ton amoureux, par hasard ? glissa Idalina.

– Pas du tout !

– Ouh, la menteuse ! se moqua Naïma.

– Bon, ça va ! Peut-être que Jimmy et moi… on est très proches.

– Vous vous êtes déjà embrassés ? demanda Idalina.

– Beurk ! fit Alexa en grimaçant. Surtout pas ! Mais, des fois, Jimmy me prend la main et ça me fait battre le cœur plus vite. C'est bête, hein ?

– Non ! s'écria Idalina. C'est super,
au contraire ! J'aimerais bien avoir
un amoureux...

Rajani se tourna vers Kumiko.
Celle-ci tripotait Doudou Rien,
le regard obstinément baissé.

– C'est ton tour, lui dit Rajani.

Kumiko jeta Doudou Rien
par terre et se leva.

– Je meurs de faim,
répondit-elle. Je vais
à la cafét manger
un truc.

Kumiko sortit
de la chambre
sans ajouter
un seul mot.

PLAN DU DOMAINE

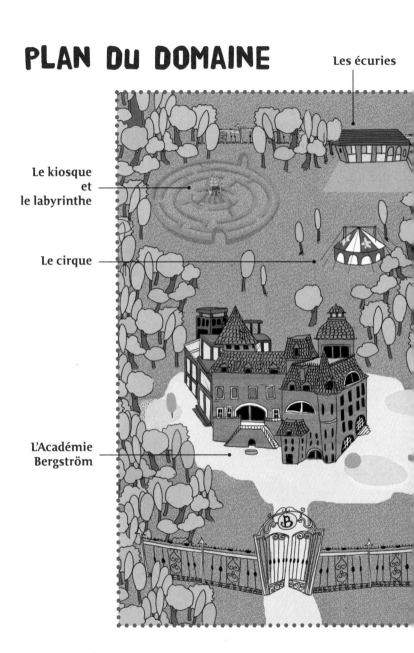

Les écuries

Le kiosque et le labyrinthe

Le cirque

L'Académie Bergström

Ces 5 filles aux cultures si différentes vont vivre ensemble des moments exceptionnels.

Au fil de leurs multiples aventures, elles vont s'ouvrir au monde, découvrir les **cultures** des autres pays, apprendre à respecter leurs **différences** et devenir inséparables.

L'ACADÉMIE BERGSTRÖM

Les Kinra Girls sont **5 filles** venues des **4 coins du monde**.

Kumiko, la Japonaise, **Idalina,** l'Espagnole,
Naïma, l'Américaine, **Rajani,** l'Indienne,
et **Alexa,** l'Australienne, se rencontrent
à l'Académie Bergström, un collège international
qui accueille des élèves talentueux du monde entier.

NAÏMA

RAJANI

ALEXA

aïma est américaine.
on père est américain
sa mère vient d'Afrique.
e cirque est sa passion.

Rajani est indienne.
Elle adore danser,
surtout les danses
traditionnelles
de son pays.

Alexa est
australienne.
Elle monte à cheval
et souhaite devenir
championne
d'équitation.

Naïma resta bouche bée.

– J'ai raté quelque chose ou quoi ?
dit Alexa, interloquée.

– Qu'est-ce qui lui a pris ? s'étonna
Idalina. Tu sais, toi ?

– Je ne comprends pas, admit Rajani.
C'est vrai que j'ai déjà remarqué que
Kumiko ne parlait jamais de sa famille.
Tenez, vous voyez les photos au-dessus
de son bureau ? Au début, je croyais
que c'était celles de ses parents.
Après, je me suis aperçue que c'était
des photographies anciennes.

– C'est bizarre… murmura Naïma.

– Si elle préfère se taire, c'est qu'elle a
une bonne raison, déclara Rajani.
Il ne faut pas insister. Le jour où elle
voudra se confier, on sera là pour elle.
C'est à ça que servent les amis, non ?

– Je suis d'accord, approuva Alexa. On

ne se connaît que depuis une semaine !
Kumiko a peut-être besoin d'un peu
de temps.

– On devrait la rejoindre, proposa Idalina.
On fait comme s'il ne s'était rien passé.
On prend un chocolat chaud et on discute
de n'importe quoi… Tiens, du message
qu'Alexa nous a envoyé par exemple !
Je n'ai pas encore réussi à le traduire.

– Moi non plus, avoua Rajani.

– Vous êtes nulles, répondit Alexa.

– Hé ! T'exagères ! protesta Idalina. On
essaie de lire sans s'aider du code Mullee
Mullee ! On ne triche pas ! C'est pas
facile de se souvenir de tous les dessins !

– C'est le message ! expliqua Alexa en
riant. « Vous êtes nulles », c'est ce que
j'ai écrit !

Chapitre 2
Une drôle d'histoire

Idalina alla chercher sa guitare dans sa chambre. Un peu de musique remonterait le moral de tout le monde.

– Oh ! s'exclama Rajani, ça me rappelle que j'ai oublié un de mes CD en classe, hier ! Il vaut mieux que je le récupère avant lundi. Mme Jensen nous répète sans arrêt de veiller à nos affaires.

Je vous retrouve à la cafétéria.

Rajani partit vers l'escalier B qui était le plus

pratique pour rejoindre la salle
de danse. Arrivée au deuxième étage,
elle se sentit mal à l'aise. Les lieux étaient
déserts et seul le bruit de la pluie brisait
le silence. Rajani n'était pas trouillarde,
mais elle n'avait pas envie de s'attarder.
Elle pressa le pas en se dirigeant vers l'autre
escalier. Puis il se passa quelque chose de
bizarre. Au croisement de deux couloirs,
Rajani tourna la tête machinalement.
Du coin de l'œil, elle vit une ombre
qui se faufilait par la porte entrouverte
de la bibliothèque. Elle se figea sur place.

Elle était sûre d'avoir aperçu la petite
silhouette d'un chat blanc…
Rajani hésita. La curiosité la poussait
à aller y voir de plus près. La peur lui
disait de poursuivre son chemin. Elle
secoua la tête. Un chat dans l'école !
C'était absurde ! Son imagination lui
jouait des tours, voilà tout ! Du coup,
elle se mit à courir.
À cause du mauvais temps, les
élèves ne pouvaient pas sortir
et traînaient dans la cafétéria.
Idalina, Naïma et Alexa
y avaient retrouvé Kumiko,
assise devant une tasse de
chocolat. Les emballages vides
montraient que la Japonaise
avait déjà avalé plusieurs biscuits.

– T'auras plus faim pour le
dîner ! remarqua Alexa.

– Tant mieux, répondit Kumiko. Je n'ai
aucune envie de manger encore
des carottes râpées !

Rajani surgit, essoufflée et les cheveux en
bataille. Heureusement, personne n'y prêta
attention. Idalina avait pris sa guitare
et chantait pour distraire ses amies.

– Bravo ! Bravo ! s'enthousiasma un
garçon assis près du distributeur.

Idalina reconnut Mickael, le magicien.
Elle éclata de rire.

– On se calme ! dit-elle. Je ne suis pas
Madonna quand même !

Mickael empoigna son copain Johannis
par la manche et le traîna jusqu'à la table
des Kinra.

– Non, tu es bien meilleure ! répondit
Mickael. Et tellement plus jolie !

Idalina rougit jusqu'aux oreilles.
Johannis s'inclina.

– Mesdemoiselles. Pardonnez-nous si on s'incruste mais, s'il vous plaît, amusez-nous ! Y a pas pire qu'un samedi où il pleut...

– Si, rétorqua Alexa. Un dimanche !

– Quoi de neuf ? demanda Mickael en s'asseyant.

– Ben... rien, dit Naïma. Johannis, je peux te poser une question ? Pourquoi tu as été pris à l'Académie ?

– Je ne suis pas mauvais en maths.

– T'es devenu modeste, brusquement ? rigola Mickael. Jo a un ordinateur dans la tête ! Et il est super fort aux échecs !

– Oui, enfin, moyennement, rectifia Johannis.

Mickael haussa les épaules.

– Écoute-le, celui-là ! Jo est champion du monde !

– Du monde ! s'exclama Naïma. C'est vrai ?

– Hum… oui. Junior. Je ne fais pas le poids face à un adulte.

Une lueur malicieuse illumina le regard de Johannis quand il ajouta :

– Pas encore…

Il offrit une tournée générale de chocolat chaud. On parla des cours et des profs puis, soudain, Mickael se frappa le front.

– Oh, je me souviens d'un truc marrant que m'a raconté un des grands pendant la fête de bienvenue ! Vous savez que cette maison n'a pas toujours été une école ?

– On s'en doute ! répondit Kumiko. On voit bien qu'elle est ancienne.

– Ouais, bah, elle est hantée, dit Mickael en baissant la voix.

– Arrête tes bêtises ! protesta Naïma. Tu crois que tu vas nous effrayer parce qu'on est des filles ?

– Attends, attends ! s'écria Alexa. Je veux

entendre l'histoire, moi ! Qu'est-ce qui s'est passé ici ? Un incendie ? La peste noire ? Un crime affreux ?

– Non, non, rien de tout ça ! Il y a, heu... très, très longtemps...

– C'est précis ! se moqua Naïma.

– C'est pas important, la date !

Le propriétaire était un sale bonhomme monstrueusement riche. Il était méchant comme un pitbull. Les gens du coin le détestaient. Ça lui était bien égal, il les détestait aussi ! Il ne s'était jamais marié et il vivait tout seul avec son chat. Quand il est devenu vieux, il a décidé de cacher son immense fortune pour que personne ne mette la main dessus. Il possédait des coffres pleins d'or et de bijoux...

– Je devine la suite, l'interrompit Naïma.
Quand il est mort, on a cherché son
trésor partout et on ne l'a pas trouvé.
Et les nuits d'orage, on entend
son fantôme hurler « hou, hou ! ».

– C'est moi ou c'est toi qui raconte ?
se fâcha Mickael. Où j'en étais ?
Ah oui. Donc, il a planqué son or
quelque part et on ignore où.
Et puis, il s'est enfermé avec.

– Quoi ! fit Alexa.

– Ouais. Il était très âgé et très malade,
alors il a décidé de se coucher
sur son trésor et de mourir là.

– Comment on le sait si on n'a pas
retrouvé le trésor ? demanda Idalina.

– Parce qu'il a écrit une lettre à un voisin.
Il le prévenait qu'il laissait de l'argent sur
une table. Pour qu'il s'occupe de son chat.
Évidemment, le voisin a pris l'argent

mais pas la pauvre bête ! Le chat est resté
dans la maison et il s'y promène toujours
en appelant son maître… Il paraît que ça
porte malheur de le rencontrer.

– Un chat fantôme ? s'exclama Kumiko.
Tu te moques de nous ?

– Ben, tiens ! ricana Naïma en haussant
les épaules. Quelle bonne blague !

Idalina reprit sa guitare et gratta quelques
accords. Elle commença à chanter.

– *Marra-ma-miaou, miaou, miaou !*
Estando el señor don Gato
Sentadito en su tejado[5],
Marra-ma-miaou, miaou, miaou !
Allez ! Avec moi ! *Marra-ma-miaou,*
miaou, miaou !

Un chœur de « miaou, miaou ! » retentit
dans la cafétéria. Idalina chanta tous
les couplets et on s'en donna à cœur joie

---

5. *Voici monsieur le Chat Assis sur son toit, en espagnol.*

pour l'accompagner en miaulant.

Rajani se tenait raide sur sa chaise et faisait des efforts pour participer. Avait-elle vraiment vu le chat fantôme entrer dans la bibliothèque ? Aucune des autres Kinra ne prenait l'histoire de Mickael au sérieux. Rajani sursauta au son du dernier « miaou ! » lancé avec force par Idalina.

– Extra, ta chanson ! dit Johannis. Mon
espagnol n'est pas excellent, cependant
il me semble avoir compris qu'il s'agissait
d'un genre d'animal avec quatre pattes
et une queue…
– C'est le cas ! répondit Idalina en riant.
Monsieur le Chat est sur un toit et il
apprend qu'il va se marier. Il est tellement

content qu'il tombe et se brise les os. On
va pour l'enterrer dans la rue du Poisson,
mais la bonne odeur des sardines ramène
le chat à la vie ! C'est une comptine que
les enfants de mon pays aiment beaucoup.

Alexa consulta sa montre et poussa un cri.

– Oh ! là, là ! Il est déjà cette heure-là ?
Je suis en retard pour sortir le chien
du directeur !

– Tu ne vas pas traîner Jazz dehors
par un temps pareil quand même !
remarqua Naïma.

– Tu parles ! Il adore sauter dans les
flaques de boue ! Hum... J'ai intérêt
à mettre des bottes !

Rajani se leva à la suite de l'Australienne.

– On a un devoir d'anglais à finir,
expliqua-t-elle. Kumiko, tu voulais
que je t'aide, non ?

Kumiko lui jeta un regard soupçonneux.

– C'est un piège pour m'obliger à lessiver
la salle de bains ?

Rajani lui jura que non. Le grand nettoyage
attendrait... jusqu'à demain !

– On peut venir ? demanda Idalina. Ce
serait plus sympa d'étudier ensemble.

Rajani accepta aussitôt. Elle avait envie de
parler du chat fantôme. Comment les filles
allaient-elles réagir ? Elle-même n'était pas
sûre de ce qu'elle avait vu. Ou plutôt si.
Et non... Elle ne savait plus quoi penser !

– Pitié, ne nous abandonnez pas !
supplia Mickael.

– Tu survivras, rétorqua Johannis. Et puis,
je te rappelle que tu n'as pas encore ouvert
ton livre de maths !

Mickael fit la grimace. Les maths, quelle
horreur !

Mauvaise rencontre

L e labrador noir posa la patte sur le genou de son maître. Miss Daisy croisa les bras. L'assistante du directeur n'était pas vraiment d'accord pour confier le chien à Alexa.

– Vous allez dans les bois ! remarqua-t-elle.

Jazz va mettre des saletés partout !

Ce n'est pas toi qui nettoies derrière lui !

– Si, je le ferai ! promit Alexa.

– Je ne veux pas priver Jazz de

sa promenade, dit M. Meyer. Mais,
aujourd'hui, tu le tiens en laisse.

Juste un petit tour dans le parc et pas
question de se rouler dans la boue.

– Oui, monsieur ! s'écria Alexa.

M. Meyer se pencha vers son chien.

– C'est à toi que je parle. Pas de galipettes,
compris ?

Jazz remua la queue avec enthousiasme.
Quand il vit qu'on l'attachait, il baissa
le museau. Il savait ce que ça signifiait.
Pas de « baballe », pas de jeux, pas drôle quoi...
La porte de l'école à peine franchie, Jazz
se secoua dans tous les sens.

– T'exagères, lui dit Alexa. Tu profites
que ce soit moi, hein ? Ça va, ça va !

Je te détache ! Non ! Non ! Jazz ! Au pied !

Oh, c'est pas vrai...

Le labrador était parti au galop. Il ne tarda
pas à disparaître dans la forêt. L'herbe était

tellement gorgée d'eau que les bottes
d'Alexa s'enfonçaient jusqu'aux chevilles.
Pas facile de courir dans ces conditions !
Alexa fut surprise de voir revenir Jazz
vers elle. Encore plus étonnant, il se réfugia
dans ses jambes. Elle profita de l'occasion
pour le saisir par le collier.

– T'as pas l'air fier, maintenant ! Allez, viens.
Mais Jazz ne voulait pas bouger. Il regardait
derrière lui avec insistance. Voilà qui était
plutôt étrange…

– Qu'est-ce qu'il y a là-bas ?
Jazz grogna. Alexa n'hésita pas une seconde.
Tenant fermement le chien, elle s'avança
vers le bois. Sous les arbres, il faisait si
sombre qu'elle dut s'arrêter, le temps de
s'habituer à l'obscurité. Le bruit de la pluie
dans les feuilles était assez fort et au début,
elle n'entendait que ça. Elle perçut comme
une respiration… Alexa faillit pousser

un cri. Elle reconnaissait ce son si particulier !
Elle écarquilla les yeux dans l'espoir de voir
quelque chose. Elle souffla entre ses lèvres et
attendit. La réponse lui parvint des buissons.
Pffou, pffou…

— *Annin nglelurumi gelane*[6]… murmura
Alexa. *Annin nglelurumi gelane*…
Elle répéta plusieurs fois la phrase tout
en s'approchant très lentement. Même
si elle avait déjà deviné qui se cachait là,
elle n'arrivait pas à le croire. Nelson !
Comment le cheval avait-il pu s'échapper
de son box ? Il n'avait pas ouvert la lourde
porte de l'écurie tout seul ! Les narines de
Jazz frémissaient. Le labrador reniflait l'air.
Alexa s'immobilisa quand Nelson frappa
le sol. Rainer, le professeur d'équitation,
l'avait prévenue : Nelson était dangereux.
Comment le persuader de rentrer à l'écurie ?
Elle n'avait pas de corde pour l'attraper.

6. Annin nglelurumi gelane *(en aborigène) :*
aie confiance, mon frère

Et de toute façon, Nelson n'accepterait sûrement pas qu'elle le touche. Il fallait avertir Rainer.

Alexa repartit à reculons. Ce n'était pas une bonne idée de tourner le dos à un animal terrorisé... Jazz n'aimait pas être maintenu par le collier et cherchait à se libérer. Nelson s'agita soudain. Alexa eut envie de s'enfuir en courant. Puis elle comprit. Elle avait la laisse du chien dans la main. Pour Nelson, cela ressemblait à un fouet ! Elle cacha la laisse dans la grande poche de sa parka.

— *Pffou, pffou*... souffla-t-elle. Tu n'as rien à craindre, mon frère... Du calme, Jazz.

Le labrador se débattait toujours et gémissait. Alexa ne quittait pas le cheval du regard. Nelson se mit en marche. Il la suivait ! Avec un peu de chance, elle pourrait le ramener jusqu'à l'écurie... Elle continua de lui parler à voix basse pour le rassurer.

POUR EN SAVOIR PLUS...

L'encre fonctionne très bien avec la plume métallique, le pinceau, le stylo de dessin, etc. Une fois sèche, l'encre de Chine devient imperméable à l'eau.

On ignore si l'encre de Chine a réellement été inventée par les Chinois et de quand date son invention. En tout cas, dès le VIIe siècle, les Chinois fabriquent des bâtons d'encre de Chine.

Il a existé de nombreuses encres de Chine différentes selon les lieux et les époques.

© Lefebvre Jonathan/Fotolia

LE CODE
MULLEE MULLEE

Bora = réunion secrète.

Borakawa = rendez-vous au moulin.

0% = attention, les pestes sont dans le coin.

Un animal, un lapin sans doute, détala dans les fourrés. Nelson s'affola, se cabra et fonça droit devant lui. Jazz prit peur à son tour et voulut s'écarter d'un bond. Alexa avait les doigts coincés sous son collier et quand Jazz tira brusquement, elle tomba par terre. Nelson sauta par-dessus son corps, mais le sabot de sa patte arrière heurta l'épaule d'Alexa. La douleur arracha un cri à Alexa. Elle ne savait plus ce qui se passait autour d'elle. Elle voyait trouble, comme s'il y avait plusieurs images qui se mélangeaient. Était-ce la silhouette de Nelson qui disparaissait dans les profondeurs de la forêt ? Jazz aboya furieusement puis gronda en découvrant des dents bien pointues. Alexa essaya de se redresser mais elle n'avait plus de force. Elle s'effondra, inconsciente. Jazz se précipita vers elle et lui lécha le visage. Alexa ne se réveillait pas...

Chapitre 4

À la recherche d'Alexa

Rajani attendait le retour d'Alexa pour parler du chat fantôme. Elle avait du mal à se concentrer sur le devoir d'anglais. Elle regarda l'heure.

– Qu'est-ce qu'elle fait ? s'écria-t-elle.

Elle devrait être revenue, maintenant !

– Qui ? dit Naïma, sans réfléchir.

– Alexa, évidemment !

– Elle a peut-être oublié ? suggéra Idalina.

– Oui, c'est ça ! Je vais la chercher.

Rajani partit d'un pas décidé. Elle fut très déçue quand Michelle lui ouvrit la porte.

    – Qu'est-ce que tu veux ?

    – Ta colocataire est là ?

    – Non, et c'est pas dommage ! grommela Michelle en lui refermant la porte au nez.

« Quelle mal élevée, cette fille ! » pensa Rajani. Kumiko apparut dans le couloir et lui demanda des nouvelles.

    – Elle n'est toujours pas rentrée, répondit Rajani. Je... Il lui est arrivé quelque chose. Kumiko haussa les épaules.

    – Mais non ! Alexa s'amuse dans les flaques avec Jazz, c'est tout !

    – Je suis sûre qu'il lui est arrivé quelque chose ! Kumiko fronça les sourcils. Ce n'était pas le genre de Rajani de s'alarmer pour un rien.

    – Pourquoi tu crois ça ?

    – Je le sais dans mon cœur. Je ne peux pas t'expliquer...

— Je n'ai pas besoin d'explication, affirma
Kumiko. Si c'est ce que tu ressens, je te
fais confiance. Alors, on y va !

Elles retournèrent dans leur chambre et
mirent leurs amies au courant. Pas une
minute à perdre ! Chaussures et manteaux
furent vite enfilés. Naïma vérifia d'abord
qu'Alexa ne traînait pas à la cafétéria.
Rajani se rendit au bureau du directeur.
Miss Daisy l'accueillit et lui apprit qu'Alexa
n'avait pas encore ramené le chien.
Et d'ailleurs, elle n'était pas contente.

— Elle devait seulement faire un petit
tour ! Je te jure qu'elle va m'entendre !

Rajani lui cacha qu'elle était très inquiète.
Elle ne pouvait pas lui raconter qu'elle avait
aperçu un chat fantôme qui portait malheur !
Miss Daisy était sympa, mais c'était une
grande personne. Kumiko frissonnait sur le
perron de l'école. Idalina plissa les paupières

pour mieux voir à travers le rideau de pluie.

— Ce n'est pas en restant ici qu'on
la retrouvera ! s'exclama Naïma.

— Chuuuuuuut ! fit Kumiko.

— Quoi ? protesta Naïma.

— Chuuuuuuut ! Écoutez ! C'est Jazz
qui aboie !

Idalina tendit le bras vers le bois.

— Ça vient de là-bas !

— Il n'aboierait pas comme ça sans raison,
remarqua Rajani d'une voix tremblante.

Elle n'eut pas besoin d'ajouter un seul mot.
Toutes les quatre sautèrent les marches et
traversèrent en courant la large pelouse
du parc. La nuit commençait déjà à tomber.
Il faisait très sombre sous les arbres.

— Alexa ! appela Kumiko. Alexa !

Les hurlements du chien s'arrêtèrent
brusquement.

**

Une boule noire surgit des buissons et se précipita sur Kumiko. Jazz ! Le labrador l'attrapa par la manche en gémissant.

– Bon chien, bon chien ! Où est Alexa ?

Jazz l'entraîna en la tirant.

– Par ici, les filles ! indiqua Kumiko.

– On n'y voit plus rien, se plaignit Idalina. Aïe ! Je me suis cognée...

– Elle est là ! hurla Rajani. Oh, non, non...

Elle s'agenouilla près du corps inanimé. Quand Kumiko voulut secouer Alexa pour la réveiller, Rajani arrêta son geste.

– Non, ne la touche pas ! Tu risques de lui faire plus de mal que de bien !

Alexa ! Est-ce que tu m'entends ?

Un faible murmure passa les lèvres d'Alexa. Au moins elle était vivante !

– N'essaie pas de bouger, conseilla Rajani. Ne t'inquiète pas, nous... Hum ? Quoi ?

Alexa faisait un effort pour parler. Idalina

se pencha dans l'espoir de comprendre quelque chose. Elle se redressa, surprise.

– Elle a dit : Nelson.

– C'est pas le méchant cheval qui est enfermé ? demanda Naïma.

– Peut-être qu'elle délire… supposa Kumiko. Ça arrive aux gens qui reçoivent un coup sur la tête !

– C'est possible, admit Rajani. Ce n'est pas le moment de discuter. Il faut prévenir M. Meyer.

– J'y vais ! décida Naïma. C'est moi la plus rapide !

Elle fonça à travers les arbres sans s'occuper des branches qui la frappaient au passage. Jazz la suivit des yeux, comme s'il hésitait à la suivre. Mais il choisit de rester et se mit à tourner autour des filles. Par moments, il s'immobilisait et regardait fixement dans une direction ou dans une autre.

– Jazz est bizarre, remarqua Idalina.

Il a l'air de surveiller.

Rajani posa la main sur la joue de l'Australienne.

– Elle est glacée ! s'exclama-t-elle.

Aussitôt, Kumiko enleva sa doudoune.

Tant pis si elle avait froid, il fallait réchauffer Alexa à tout prix !

Naïma n'avait jamais couru aussi vite de sa vie. Elle surgit dans le bureau, à bout de souffle et couverte de boue. Miss Daisy sursauta sur sa chaise.

– En voilà des manières ! Qu'est-ce que tu...

– À l'aide ! hurla Naïma. Alexa est blessée !

La voix du directeur se fit entendre par la porte ouverte.

– Respire un grand coup et explique-toi.

Naïma lui obéit, fit « aaahoujh ! » en aspirant fort et déclara d'un seul trait :

– Elle est par terre dans le bois, on ne l'a

pas touchée, on ne sait pas ce qu'elle a
mais elle est sonnée, faut que je reparte
là-bas !

– Pas question, répondit calmement
M. Meyer. Nous avons besoin de toi
pour nous guider. Miss Daisy, appelez
une ambulance.

M. Meyer appuya sur une touche de son
téléphone. Emma, l'infirmière, lui répondit.
En trois mots, le directeur la mit au courant.
Naïma avait l'impression d'avoir du coton
dans les oreilles. Elle ne voyait plus clair.
Soudain, ses jambes se mirent à trembler.
Miss Daisy la prit par le bras et l'obligea à
s'asseoir. L'instant d'après, Emma, Rainer
et M. Tremblay étaient là.
Et Naïma fondit en larmes.

Chapitre 5

La malédiction
du chat fantôme

L es lumières de l'ambulance disparurent dans la nuit. Les élèves venaient aux nouvelles. Mme Beckett, le professeur d'anglais, essayait de les rassurer comme elle pouvait. Oui, une de leurs camarades avait eu un accident. Non, ce n'était sûrement pas grave. Oui, on l'emmenait à l'hôpital pour vérifier qu'elle n'avait pas de fracture…

Dans son bureau, Miss Daisy servait le thé.
Kumiko était gelée et n'en finissait pas
de frissonner. Idalina caressait Jazz en
murmurant des « brave chien » en boucle.
Naïma n'était même plus capable
de réfléchir. Rajani, elle, pensait !
Au chat fantôme porte-malheur !
Rainer remercia Miss Daisy en prenant
la tasse fumante.

> – Vous avez été super, les filles ! dit-il.
> Je ne suis pas médecin mais je ne crois
> pas qu'Alexa soit sérieusement blessée.
> Elle a été choquée. Et puis, rester
> étendue sous une pluie glaciale
> n'a pas arrangé son état !
> – Nelson ! s'écria Idalina
> brusquement.
> – Quoi, Nelson ? s'étonna Rainer.
> – C'est la seule chose
> qu'Alexa a dite.

TOUTE LA COLLECTION

k   **i**   **n**   **r**   **a**

1   **2**   **3**   **4**   **5**   **6**   **7**

8   **9**   **10**   **11**   **12**   **13**   **14**

15   **16**   **17**   **18**   **19**   **20**   **21**

22   **23**   **24**   **25**   **26**

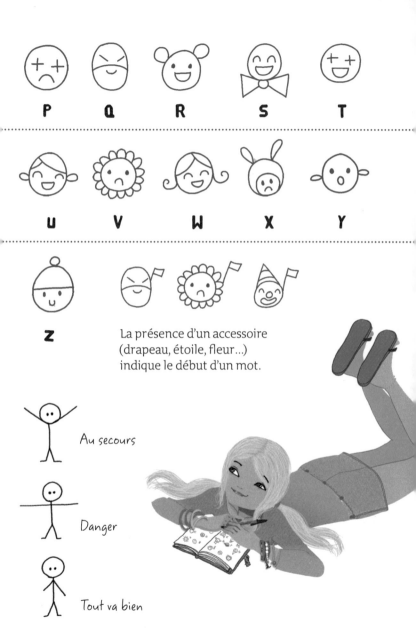

P **Q** **R** **S** **T**

U **V** **W** **X** **Y**

Z

La présence d'un accessoire (drapeau, étoile, fleur...) indique le début d'un mot.

Au secours

Danger

Tout va bien

– C'est bien elle, ça ! plaisanta Miss Daisy.

Même assommée, elle continue de parler !
Personne n'avait le cœur à rire mais tout le
monde rit. Rainer s'éloigna dans le couloir
pour appeler un de ses assistants avec
son portable. Il lui demanda de se rendre
immédiatement à l'écurie. Quelques
minutes plus tard, Rainer raccrochait
et revenait dans la pièce.

– Nelson n'est plus dans son box,
annonça-t-il.

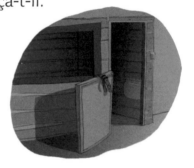

– Comment a-t-il pu sortir ? s'exclama
Miss Daisy.

– On lui a ouvert la porte.

Rajani se redressa d'un bond.

— Jamais Alexa n'aurait fait ça !

— Elle promenait Jazz ! ajouta Idalina.
Ce n'est pas elle !

— Je n'en doute pas, dit Rainer.
J'ai confiance en Alexa.

Rajani poussa un soupir de soulagement.
Elle avait cru qu'il allait accuser son amie.

— On ne peut pas laisser ce cheval
en liberté ! s'inquiéta Miss Daisy.
Il est dangereux !

— Je vais contacter le vétérinaire pour
qu'il vienne demain matin. On ne peut
rien faire cette nuit.

— Le vétérinaire ? répéta Kumiko.
Pourquoi ?

Rainer garda le silence quelques secondes
avant de répondre tristement :

— Je crains qu'on n'ait pas le choix
s'il a attaqué la petite...

Idalina blêmit. Kumiko se leva de sa chaise si vite que celle-ci se renversa.

– Vous allez le tuer ?

– Vous n'avez pas le droit ! hurla Naïma.

Rajani se couvrit le visage pour cacher ses yeux rouges. C'était la malédiction du chat fantôme !

– Alexa connaît la vérité, remarqua Miss Daisy. Il suffit de lui demander…

Rainer acquiesça.

– J'en ai l'intention. En attendant, j'aimerais comprendre ce qui s'est passé… Si je mets la main sur celui qui a permis à Nelson de s'échapper, il va passer un mauvais quart d'heure, je vous le garantis !

Miss Daisy se jeta sur son téléphone dès que la sonnerie retentit.

– Oui ! Oui… Ah bon !

Elle sourit aux filles en levant le pouce pour

indiquer que tout allait bien. La conversation se poursuivit un court instant.

– C'était M. Tremblay, dit-elle en reposant le combiné. Alexa n'a rien de cassé, juste un énorme bleu à l'épaule. On la garde à l'hôpital quelques heures parce qu'elle souffre d'une légère hypothermie.

Ça signifie qu'elle a eu très froid.

Idalina prit le bras de Rainer.

– Vous promettez de ne pas faire de mal à Nelson avant d'avoir parlé à Alexa ?

– Je l'ai sauvé de son ancien maître, ce cheval... Je t'assure que je n'ai aucune envie de l'abattre ! Je ne sais même pas comment on va le rattraper ! J'espère que le vétérinaire pourra lui donner un calmant.

Miss Daisy accompagna les filles au réfectoire pour qu'on leur serve un repas. Les élèves avaient déjà dîné et la salle était vide.

La cuisinière leur permit, exceptionnellement, de monter les plateaux dans leur chambre.

***

Idalina reposa son assiette. Elle n'avait réussi à avaler qu'une cuillerée de purée.

— J'ai pas faim… Pauvre Alexa ! Si jamais Rainer est obligé de tuer Nelson, elle ne va pas s'en remettre !

— C'est à cause du chat fantôme ! s'exclama Rajani. Il porte malheur !

— Tu ne crois pas aux bêtises de Mickael quand même ? répondit Naïma.

— Vous ne comprenez pas ! s'énerva Rajani. Je l'ai vu !

Trois paires d'yeux se fixèrent sur elle. Rajani expliqua qu'elle ne leur avait rien raconté plus tôt parce qu'Alexa était partie et qu'elle attendait son retour.

— Et avec tout ce qui est arrivé, je n'ai

pas eu l'occasion de vous le dire !

— Comment ça, tu l'as vu ? s'étonna
Kumiko.

— Oui, quand je suis allée récupérer mon
CD dans la salle de danse.

— Tu l'as imaginé à cause de l'histoire de
Mickael ! remarqua Naïma.

— Mais non ! protesta Rajani. C'était avant !
Je n'étais pas au courant à ce moment-là !

— À quoi il ressemble ? demanda Kumiko.
Qu'est-ce qu'il faisait ?

— Je l'ai aperçu qui entrait dans la
bibliothèque. Il est blanc, plein de poils,
un genre d'angora. Ça s'est passé très
vite, il a disparu par la porte ouverte…
D'ailleurs, maintenant que j'y pense…
C'est curieux, il me semblait que la
bibliothèque était fermée le week-end ?

— Oui, acquiesça Idalina. C'est parce qu'il
n'y a personne pour nous surveiller.

– C'est tout ? insista Kumiko. Tu ne l'as
pas entendu miauler ?

Rajani hocha la tête.

– Il était très silencieux. Je ne me
souviens de rien d'autre.

– Alors c'est le chat de quelqu'un,
dit Naïma. Un vrai, vivant !

– Il n'y a que deux animaux autorisés
à rester dans l'école, rétorqua Kumiko.
Jazz et le perroquet de M. Tremblay.

– Rajani a eu une hallucination dans
ce cas !

– Traite-moi de folle pendant que t'y es !
s'écria Rajani.

Idalina regarda Naïma attentivement.

– Pourquoi tu réagis comme ça ? Tu ne
crois pas aux fantômes ?

– Si, dit Naïma. Justement... ça me fait
trop peur !

Un silence s'installa.

La sonnerie retentit dans le couloir.

> – C'est l'heure de se coucher, grommela Rajani. Tu parles comme j'ai envie de dormir !

Tout à coup, Kumiko se redressa sur son lit.

> – Eh, mais au fait... Si le chat fantôme existe, le trésor aussi ! Je vous parie mon Doudou Rien qu'Alexa va vouloir le chercher !

> – Faudrait déjà qu'elle soit là... murmura Idalina.

Les quatre filles soupirèrent. Alexa leur manquait terriblement.

Chapitre 6

Mystère...

Alexa tourna la tête. M. Meyer était assis dans le fauteuil, il avait passé la nuit à son côté. Il sourit en l'entendant bouger.

– Bonjour, monsieur !

– Bonjour. Ta voix sonne clair et fort.

J'en déduis que tu vas bien !

Alexa grimaça en levant le bras gauche.

– Mon épaule est un peu douloureuse.

J'ai connu pire... Mon père m'appelle

« Miss plaies et bosses » ! Oh non !
J'espère que vous n'avez pas prévenu
mes parents ?

– Pas encore. Le médecin doit t'examiner
ce matin. C'est lui qui décidera si tu peux
sortir ou pas. Ensuite, je téléphonerai
chez toi...

– Pas ça ! Maman va avoir une attaque !

– Je n'ai pas le choix. Fais-moi confiance,
je sais rassurer les mères inquiètes.
Raconte-moi ce qui t'est arrivé.

Alexa remonta son oreiller pour s'installer
plus confortablement.

– Y a urgence ! Nelson s'est échappé !
Le directeur lui répondit qu'il était déjà au
courant. Puis il lui parla de ses amies qui
l'avaient retrouvée.

– Elles ont réagi comme il le fallait.
Tu pourras les remercier !

– C'est moi qui leur ai tout appris !

Première leçon : en cas d'accident,
chercher de l'aide ! Deuxième leçon :
comment se comporter en face d'un
crocodile. C'est vrai que celle-là est
moyennement utile dans ce pays…
– Et quand on rencontre un cheval
dangereux dans les bois ? demanda
M. Meyer, amusé.
– Hum… D'abord, le calmer en soufflant
doucement. Nelson ne s'est pas enfui
en me voyant. Il m'a reconnue et je vous
jure qu'il m'écoutait ! Il a commencé à
me suivre. Je suis sûre que j'aurais pu le
ramener jusqu'à l'écurie. Mais il y a eu
un bruit, un lapin j'imagine… Nelson a
eu peur, il est du genre nerveux. Il s'est
cabré et du coup, Jazz a eu peur aussi et
c'est lui qui m'a fait tomber ! Pas sa faute,
mes doigts étaient coincés sous son
collier. Nelson s'est emballé. C'est en

sautant par-dessus moi qu'il m'a cognée
avec son sabot. Il n'avait pas beaucoup
de place pour passer entre les arbres.

– Les chevaux sautent pour éviter
un obstacle, n'est-ce pas ?

– Oui. Ça prouve que Nelson n'a pas voulu
me faire de mal. C'est juste pas de chance.

Alexa repoussa les draps et se leva. M. Meyer
lui ordonna de se recoucher.

– Suis pas en sucre ! affirma-t-elle.

À cet instant, le médecin entra dans la
chambre. Il s'arrêta sur le seuil et regarda
Alexa avec des yeux ronds.

– Comment allez-vous, docteur ? dit-elle
en enfilant son pull.

– Comment, moi, je vais ? Est-ce que vous
ne vous trompez pas de rôle, jeune fille ?
C'est vous, la malade !

– Un gros bleu, c'est pas une maladie.
Je ne suis même pas enrhumée !

Malgré ses protestations, elle ne fut pas autorisée à quitter l'hôpital avant d'avoir été examinée.

***

À midi, la voiture de M. Tremblay franchit les grilles de l'école. En compagnie de Miss Daisy et de Jazz, Rainer attendait sur le perron. Le labrador aboya et remua la queue en apercevant son maître.

Rainer voulait être le premier à annoncer à Alexa que Nelson était sain et sauf.

Il avait été difficile d'attraper le cheval. Heureusement, Nelson était toujours dans le bois et le vétérinaire avait réussi à lui envoyer une fléchette contenant un tranquillisant.

– On s'y est mis à quatre pour le ramener à l'écurie ! Même drogué, il s'est débattu... Je suis content que personne n'ait été blessé. À part toi...

– Je n'ai rien de grave ! répondit Alexa.
Vous savez comment Nelson est sorti ?

– Ça, oui. Pas tout seul ! La question,
ce n'est pas comment, mais qui...

– Quelqu'un aurait oublié de refermer
son box ? suggéra M. Meyer.

– Je n'y crois pas, dit Rainer, pour la
bonne raison que je m'occupe de Nelson.
Non... On a ouvert la porte, exprès.
Pourquoi, c'est un mystère...

Miss Daisy proposa à Alexa de l'aider à monter.

– J'ai faim, moi ! râla celle-ci. C'est l'heure,
non ?

– Tu t'es vue ? demanda Miss Daisy.
Tu es couverte de boue séchée.

Alexa examina ses vêtements sales puis ôta
sa parka qu'elle tendit à la jeune femme.

– Voilà ! s'écria-t-elle. Comme ça,
c'est bon. Pas la peine de déposer ma

doudoune dans ma chambre. Je la reprendrai dans votre bureau tout à l'heure.

Puis Alexa, tranquillement, se dirigea vers le réfectoire. Miss Daisy, la parka dans les bras, se tourna vers M. Tremblay.

– Et merci, mon chien ! Quel culot !

Jazz leva son museau vers elle, l'air de dire : « On parle de moi ? »

– Elle n'est pas réellement malpolie, remarqua M. Tremblay, juste un peu, hum… directe.

M. Meyer se mit à rire.

– C'est sa manière d'être. Il faut faire avec !

À l'entrée d'Alexa, les élèves s'agitèrent et l'observèrent avec curiosité. Rajani l'aperçut la première et avertit les autres. Alexa leur fit signe de rester assises. En passant devant la table où mangeaient Michelle et ses copines, elle marqua un arrêt. Elle se pencha vers sa colocataire qui grignotait sa feuille de salade.

– Coucou ! Je suis contente d'être de retour ! Même tes ronflements m'ont manqué !

– Je ronfle pas ! rétorqua Michelle, vexée.

– Tu ne t'entends pas, *my dear*[7]. Un vrai moteur d'avion ! Des fois, j'ai l'impression que tu vas décoller.

Michelle rougit jusqu'aux oreilles et répéta sur un ton furieux qu'elle ne ronflait pas. Alexa ricana et lui tourna le dos. Ah ! Trop facile de la mettre en boîte, cette cruche ! Mickael, gentiment, vint lui proposer de lui préparer un plateau. Johannis s'inclina devant elle.

– Nous sommes à ta disposition, dit-il. Ordonne et nous t'obéirons !

– Tu prends des risques ! plaisanta Alexa. Va finir ton repas, esclave, telle est ma volonté !

---

7. My dear *(en anglais) : ma chère, mon cher.*

Johannis la prit par le bras et la conduisit
vers ses amies.

– Mesdemoiselles, je suis à votre service.
De nouveau, il salua puis il retourna
à sa table.

– Par pitié, les filles, demanda Alexa en
s'asseyant, ne me traitez pas comme si
j'étais une grande malade !
J'en ai marre !

– Je comprends, répondit
Idalina, mais on s'est
tellement inquiétées !

– On a des choses à
te raconter, murmura
Kumiko. Importantes…
Bora ?
Un éclair illumina
le regard d'Alexa. Elle
acquiesça.

– Moi aussi, je voulais

convoquer une *bora*. Il y a un mystère…
Elle s'interrompit car Mickael lui apportait
son déjeuner.

***

Dans sa chambre, Kumiko prit un châle
dans le placard et le prêta à Alexa. Cette
dernière avait un peu froid. Même si elle
ne l'avouait pas, elle se sentait fatiguée.
L'histoire de Rajani et du chat fantôme
la ranima tout d'un coup.

— La bibliothèque ? Hum… Faudrait voir
ça de plus près.

— J'y suis allée ce matin, avoua Idalina.
Je n'ai pas pu entrer. La porte était
verrouillée.

— Toi ! s'exclama Naïma. Et tu n'as pas
eu la trouille ?

— Je ne suis pas ce genre de trouillarde.
J'ai peur des gens, des profs et des

voitures qui roulent trop vite, mais pas
des fantômes ni des cimetières !
Alexa se rappela qu'il y avait un tableau avec
des tas de clés dans le bureau de Miss Daisy.
Celle de la bibliothèque s'y trouvait
sûrement.

– Est-ce que Miss Daisy
verrouille la porte le soir ?
demanda Kumiko.

– Eh ! s'écria Rajani. Tu ne penses pas à
voler la clé pendant la nuit, j'espère ?

– Ben si, répondit Kumiko. Se promener
dans l'école plongée dans le noir...
J'adore !

– Une expédition, ça se prépare
à l'avance, dit Alexa. J'ai souvent
l'occasion de me rendre au bureau de
l'administration. J'en profiterai pour
examiner l'endroit attentivement. Bon.
On s'occupera de ça plus tard. Il y a un

autre mystère, ici. Qui a laissé sortir
Nelson ? Et pourquoi ?

– Moi, si j'avais rencontré Nelson, j'aurais
paniqué ! affirma Naïma.

– Heureusement que Jazz était là, ajouta
Kumiko, et qu'on l'a entendu aboyer.

– Il surveillait partout, se souvint Idalina.
Alexa fronça les sourcils puis, soudain,
secoua la tête.

– J'ai l'impression de passer à côté de
quelque chose… Ma mémoire me joue
des tours !

– Tu as besoin de repos, dit Idalina.
Alexa n'avait pas envie de se retrouver avec
la « chère » Michelle. Rajani lui proposa de
s'étendre sur son lit et de faire une sieste.
Pour ne pas la déranger, les autres Kinra
se réfugièrent dans la chambre 306.

Le palais de Mahasammata

Alexa s'étira. La sieste lui avait fait beaucoup de bien. Elle se redressa et grimaça. Son épaule était douloureuse. Elle contempla le mur du côté de Kumiko. Rajani avait raison : les photos paraissaient anciennes. Les personnages étaient habillés avec des costumes japonais traditionnels, des kimonos. Ils se tenaient raides comme des piquets et ils avaient l'air fâché d'être pris en photo.

Alexa était curieuse et l'occasion était trop belle... Elle ouvrit les tiroirs du bureau de Kumiko. Quelle pagaille dans le premier ! Des boutons, des pinceaux, des crayons, des bouts de tissu, de carton, de ficelle ! Qu'est-ce que Kumiko trafiquait avec ça ? Dans le deuxième, il y avait des feuilles de toutes les couleurs. Et dans le troisième...

Elle saisit le gros livre rouge. Elle laissa échapper un « oh ! » admiratif en tournant les pages. C'était un carnet de dessins à l'encre de Chine, tous plus magnifiques les uns que les autres. Le papier, pourtant très épais, était parfois déchiré sur les bords. La couverture en cuir rouge semblait ancienne, un peu noircie et fendue.

Alexa sursauta en croyant entendre un bruit. Elle remit vite le carnet en place. Non, personne. Elle avait un peu honte. Ça ne se faisait pas de fouiller dans les affaires des autres. Mais elle se posait beaucoup de questions sur Kumiko. Elle était sûre que celle-ci portait un lourd secret dans son cœur. Peut-être un secret de famille...

Allongée sur le lit, elle essaya de se rendormir. Comme elle n'y arrivait pas et qu'elle commençait à s'ennuyer, elle décida de rejoindre ses amies dans la chambre 306. Elle frappa deux coups, puis trois à la porte avant d'entrer.

– Les Kinra, déclara-t-elle, il y a un truc qui me tourne dans la tête et qui m'échappe dès que j'ai l'impression que je vais enfin mettre le doigt dessus ! Il faut m'aider à me souvenir.

– Tu as reçu un choc, remarqua Rajani.
Tu es stressée ! Il faut que tu te détendes !
Relax, quoi !

– Je suis « relax » de nature !

– Oui, normalement, répondit Rajani.
Mais tu as eu un accident ! Et moi, je sais
comment réparer les dégâts… Je vais
chercher mon huile de coco. Kumiko,
j'ai besoin de toi.

Les deux filles disparurent dans le couloir.

– L'huile de coco, c'est pas pour bronzer ?
s'étonna Alexa.

– Rajani est très forte pour les massages,
dit Idalina.

Les minutes passèrent. Au bout d'un quart
d'heure, Naïma trouva curieux qu'elles
s'attardent autant. Et pourquoi Rajani
avait-elle besoin de Kumiko ? Alexa râla en
entendant frapper quatre coups, puis trois.

– C'est pas vrai ! Ce n'est pas le bon code !

– Tu nous embêtes avec tes codes !
rétorqua Naïma. Oh ! Qu'est-ce que c'est
que tout ça ?

Kumiko tenait deux dessins et cinq rouleaux
de papier de couleurs différentes.

– C'est le palais de Mahasa…maman…

– Mahasammata[8] ! corrigea Rajani.

C'est le premier roi du Monde. Je ne suis
pas très bonne pour dessiner, alors j'ai
demandé de l'aide à Kumiko.

Elle prit les feuilles de Kumiko et les posa
par terre.

– Au centre, je mets le Soleil et la Lune.

En Inde, on pense qu'il y a un petit lapin
qui vit dans la Lune.

– Il est mignon, hein ? ajouta Kumiko.

Je l'ai super bien réussi !

Rajani plaça ensuite les rouleaux de papier
autour des dessins.

8. *Mahasammata : l'un des créateurs du Monde dans la
religion bouddhiste. Très répandue en Asie et notamment
en Chine, la religion bouddhiste a été fondée par Bouddha.*

– Les tours du château.
Elles représentent
les cinq éléments :
le feu, l'eau, la terre,
l'air et l'espace.
La Vérité est
emprisonnée
à l'intérieur.
Malheureusement,
un démon empêche que l'on passe.
Alexa avoua qu'elle ne comprenait pas
où elle voulait en venir.

– Ma grand-mère fabriquait le palais de
Mahasammata chaque fois que j'avais
un examen ou un spectacle de danse,
expliqua Rajani. Pour m'apprendre
à avoir confiance en moi. C'est une
méthode pour rester concentrée et ne
pas se laisser aller à la panique. L'esprit
est toujours plus fort que la peur. Pour

Alexa, la Vérité, ce sont ses souvenirs.
Et le démon, c'est sa mémoire qui ne
marche pas bien.

– J'adore ! commenta Kumiko.

– Moi aussi ! s'exclama Alexa. Mais
comment je fais ?

– Assieds-toi sur le lit. Il faut que tu te
détendes. Ferme les yeux. Écoute ma
voix et laisse-toi aller…

Rajani versa quelques gouttes d'huile
dans le creux de ses mains. Agenouillée
derrière Alexa, elle commença en massant
doucement ses cheveux.

– Tu marches sur le chemin… La route
est longue et difficile.

Elle caressa légèrement les paupières
d'Alexa, puis ses oreilles.

– Le vent soulève la poussière et tu es
aveugle. Le vent souffle et tu es sourde…
Te voilà devant le palais. Les murs sont

gigantesques. Il y a cet horrible monstre assoiffé de sang qui monte la garde...

Il s'approche. « Misérable enfant, je vais te dévorer ! À moins que tu ne répondes à cette énigme : qui est plus rapide que le vent, plus haut que la muraille, plus puissant que les cent mille millions de démons de l'univers ? »

Alexa, toute raide au début, baissa les épaules et arrondit le dos. Elle se sentait un peu bizarre, comme si elle flottait sur la mer.

— Mon esprit est le plus fort...

murmura-t-elle.

Les doigts de Rajani glissèrent sur le front jusqu'aux tempes d'Alexa à plusieurs reprises.

— Tu as gagné ! Le monstre n'a plus qu'à s'en aller. Regarde le palais. Ton esprit entre et cherche la Vérité. Que vois-tu ? Qu'entends-tu ?

Le regard d'Alexa tomba sur l'image de la Lune.

– Un petit lapin… Il s'enfuit…

Alexa concentrait toute son attention sur
le lapin.

– Jazz grogne, mais je le tiens par le collier.

Il renifle. Il se débat, gémit. Ce n'est pas…

Elle s'interrompit et se redressa, très excitée.

– Pourquoi Jazz est-il resté à côté de moi ?
C'est un chien guide d'aveugle. Il est
dressé à prévenir en cas d'accident.
Jazz aurait dû retourner à l'école !

– Il voulait te protéger du cheval,
supposa Idalina.

– Non, non ! Maintenant, je sais ! Ce
n'était pas un lapin qui a effrayé Nelson !
Et c'est pour ça que Jazz grondait ! Il a
senti qu'il y avait quelque chose d'autre
dans les bois ! Ou plutôt… quelqu'un…
Quelqu'un qui a fait peur à Nelson !

– Tu ne l'as pas vraiment vu ?
demanda Rajani.

– Si, je crois que si. Quand j'étais par terre et un peu sonnée, il faisait noir et puis il pleuvait… J'ai aperçu une silhouette qui s'éloignait. Sur le moment, j'ai pensé que c'était Nelson. Mais ce n'est pas possible. Il est parti au galop. Et Jazz aboyait après cette ombre qui disparaissait…

en courant sur deux jambes !

– La personne qui a ouvert la porte de l'écurie ! devina Naïma. Vous vous rendez compte ? Ce n'est plus un accident si on a affolé Nelson exprès pour qu'il blesse Alexa !

– C'est horrible ! s'exclama Kumiko.

Il faut tout de suite avertir M. Meyer !

Alexa se tourna vers Rajani.

– C'est dingue, le truc de ta grand-mère ! Mon esprit est entré dans le palais de Mahasammata et j'ai découvert la Vérité !

Trop facile !

En compagnie d'Idalina, Alexa se rendit à l'infirmerie. Elle avait mal à l'épaule. Emma, l'infirmière, lui donna un cachet pour calmer la douleur. Pendant ce temps-là, les autres Kinra expliquaient à M. Meyer que l'Australienne se souvenait d'avoir vu quelqu'un dans le bois. Le directeur les écouta attentivement.

– La police est prévenue, dit-il. C'est son affaire, maintenant. Ce qui est sûr, c'est que le coupable est doublement coupable du fait qu'Alexa a été blessée ! En attendant qu'on l'arrête, et j'en suis désolé, il nous est interdit de se promener dans la forêt. Les enquêteurs cherchent des indices depuis ce matin. Je garde bon espoir. Ils ont déjà une piste…

– Laquelle ? demanda Kumiko.

– On n'accuse pas sans preuve. Je préfère me taire pour l'instant. Mais cette piste ne mène pas à l'école.

– Alors, ce n'est pas un élève ! s'exclama Naïma. Tant mieux !

Le directeur se pencha pour passer le harnais[9] à son chien.

– Mesdemoiselles, nous sommes dimanche et je ne devrais pas être encore dans mon bureau ! Viens, Jazz. On a mérité un peu de repos.

Il se leva et invita les filles à sortir. Kumiko

9. Harnais : équipement spécial pour les chiens d'aveugle avec une poignée à la place de la laisse.

l'observa fermer la porte du bureau de l'administration à double tour. Elle sourit pour elle-même. Elle avait remarqué deux choses très intéressantes…

Il était l'heure du dîner. Malgré son état, Alexa avait faim et elle dévora son repas avec un bel appétit. Le médicament commençait à faire effet. Elle souffrait moins.

– L'idée de me retrouver avec Michelle me flanque la migraine. C'est vraiment la barbe d'avoir une des pestes pour colocataire !

– Est-ce qu'elle a le sommeil léger ? s'informa Kumiko.

– Drôle de question ! s'étonna Rajani.

– Que non, au contraire ! dit Alexa en baissant la voix. Michelle s'endort dès qu'elle est couchée. Et même si un kangourou sautait sur son lit, elle ne se réveillerait pas !

Naïma acquiesça. Elle avait compris, elle aussi, ce que la Japonaise avait en tête.

— Ne traînons pas. Nous n'avons qu'une heure pour nous organiser…

***

Chambre 306. Alexa se frotta les mains. L'excitation commençait à la gagner.

— Nous avons besoin de la clé de la bibliothèque ! Une idée ?

— J'ai repéré le tableau dans le bureau de Miss Daisy, raconta Kumiko. Les clés y sont accrochées avec des étiquettes. C'est facile de trouver la bonne. Pendant qu'on parlait avec M. Meyer, j'ai vu que sa fenêtre était du genre qui glisse vers le haut. Elle était légèrement entrouverte. Je suis sûre qu'on peut passer par là.

— Excellent ! se réjouit Alexa. Une chose de réglée.

– Tu vas un peu vite ! protesta Idalina.

Il faut aussi qu'on sorte de l'école !

– Les lumières du couloir s'éteignent une demi-heure après la sonnerie, se rappela Naïma. J'ai une lampe de poche.

J'aime bien lire sous les draps !

– J'en ai deux, précisa Alexa.

Rajani croisa les bras, l'air fâché.

– Je résume ! Un : on se promène la nuit ; deux : on cambriole le bureau de l'administration ! Et si on se fait prendre, hein ? Vous y avez pensé à ça ?

– Suffit que ça n'arrive pas ! rétorqua Kumiko.

– C'est vrai que c'est dangereux, s'inquiéta Idalina. Je ne veux pas être renvoyée, moi !

– Vous oubliez le chat fantôme, remarqua Kumiko. Et le trésor !

– Il n'y a jamais eu de trésor, dit Rajani.

Ce n'est qu'une légende !

— C'est toi qui as vu le chat ! répliqua
Naïma. Tu as rêvé ?

— Non, mais ça ne change rien !

— Si ! affirma Alexa. Il t'est apparu,
à toi… Et il t'a montré le chemin de la
bibliothèque… Je suis prête à parier les
six mille crocodiles de la rivière Adélaïde
qu'il voulait que tu le suives ! Pourquoi ?

Rajani garda le silence un instant. Puis
haussa les épaules.

— Je reconnais que je suis curieuse
de le savoir !

— Nous sommes toutes d'accord, les Kinra ?
demanda Naïma.

— Kinra Girls *forever*[10] ! lança Idalina.

***

Dans sa chambre, Alexa feuilletait un
magazine, allongée sur le ventre. Elle portait

10. Forever *(en anglais) : pour toujours.*

un jean et un tee-shirt sous les couvertures.
Elle avait profité que sa colocataire prenne
sa douche pour préparer ses affaires. Elle
avait caché une pochette en toile sous
l'oreiller et ses baskets sous le lit. Elle regarda
l'heure à son réveil. Elle bâilla et s'étira,
puis éteignit sa lampe de chevet.

– Ouh ! là, là ! Ce que je suis fatiguée !
Michelle grogna qu'elle était crevée, elle
aussi. Et vingt minutes plus tard, elle ronflait !
Par prudence, Alexa attendit encore avant
de se lever. Elle sortit en chaussettes.
Elle s'appuya contre le mur, le temps
d'habituer ses yeux à l'obscurité. La pluie
avait cessé en fin de journée et la lune jouait
à cache-cache avec les nuages. Oh, c'était
bizarre d'être là toute seule...
Elle arriva la dernière, chambre 325.
Évidemment, les autres n'avaient pas une
sale peste comme coloc !

– Vérification du matériel, dit Rajani.
Vous avez mis des piles neuves ? Parfait.
Naïma et Kumiko, votre mission est de
récupérer la clé. Idalina et moi-même,
nous ferons le guet dans le hall. Alexa,
tu t'es portée volontaire pour surveiller
l'escalier. Je te prête mon gilet, tu vas
avoir froid.

Kumiko prit ses bottes dans le placard.
Alexa hocha la tête.

– Quoi ? fit la Japonaise. Je te rappelle
qu'il a plu à torrent ce week-end !

– Justement... Tu vas salir la moquette !
Alexa ricana doucement et prit quelque
chose dans sa pochette en toile.

– Des sacs en plastique ? s'étonna Naïma.

– Tu les enfiles sur tes chaussures
et tu fermes avec un élastique.

– Tu penses vraiment à tout !

– Je me promène souvent dans mon

jardin, la nuit, expliqua Alexa. Une fois, j'ai laissé plein de boue, de la cuisine au salon ! Évidemment, ma mère s'en est aperçue… J'ai été privée de télé pendant un mois. Je n'ai pas oublié la leçon !

– On y va ? demanda Rajani.

– J'ai pas fini ! Naïma, tu es la plus sportive. C'est toi qui dois escalader la fenêtre. Tu es déjà montée sur un cheval ? Non, hein. Il y a un truc quand on n'est pas doué… Le tabouret humain !

Alexa montra à Kumiko comment croiser les doigts et les tenir bien serrés.

– Naïma, mets ton pied ou ton genou dans le creux. Et hop ! On soulève !

– Elle est lourde ! se plaignit la Japonaise.

– Elle a mangé mon dessert en plus du sien ! plaisanta Idalina.

Après plusieurs essais, Kumiko trouva la méthode pour ne pas se faire mal au dos.

– Je suis au point ! dit-elle avec satisfaction.
Quand on a compris, ce n'est pas si
difficile. Les Kinra, c'est l'heure de partir
à la chasse aux fantômes.

Rajani tourna l'interrupteur et la chambre
fut plongée dans le noir. Idalina alluma une
des torches. Cinq ombres se faufilèrent dans
le couloir…

Au tournant du premier étage, Alexa
s'arrêta.

– Bonne chance, murmura-t-elle
en s'asseyant sur une marche.

Les grandes baies du hall laissaient passer
quelques pâles rayons de lune. Le cœur
d'Idalina battait fort.

L'air humide chatouilla le nez de Naïma.
Kumiko frissonna d'excitation. Être dehors
à minuit, c'était génial ! Les deux filles
longèrent la façade. Kumiko ne s'était
pas trompée : la fenêtre était légèrement

entrouverte. Rien de plus simple
que de faire glisser la vitre vers
le haut.

En équilibre sur de gros cailloux,
Naïma se bagarrait avec les sacs en
plastique. Ce n'était pas pratique !

   – Ça y est… souffla-t-elle.

   Prête, tabouret humain ?
D'une main, elle s'accrocha
au rebord de la fenêtre.
Kumiko, un peu trop
énergiquement,
la projeta par
l'ouverture. Naïma
tomba de l'autre côté du
mur, à dix centimètres
du fauteuil. Elle
se releva et
frotta
son

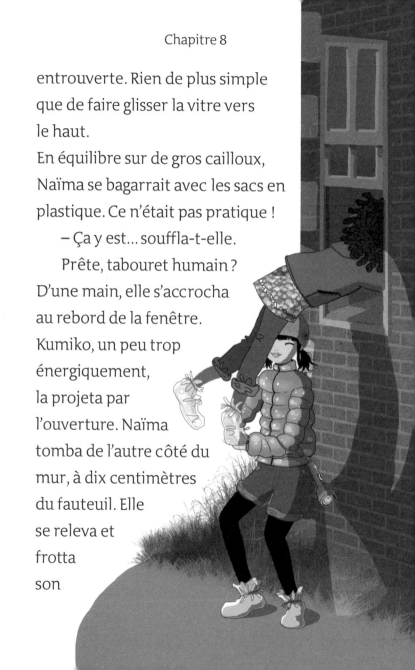

coude qui avait heurté le radiateur.
Kumiko lui passa la lampe. Le tableau
avec les clés était dans le bureau d'à côté.
Il n'y avait plus qu'à prendre celle de la
bibliothèque. Facile !

Chapitre 9

Miaou !

Les paupières d'Alexa s'abaissèrent doucement. Un grand coup de fatigue… Elle sursauta. Un bruit ? Elle éteignit sa minuscule lampe porte-clés. Oh oui ! Il y avait bien un bruit ! Celui de l'ascenseur ! Idalina et Rajani avaient entendu également. De là où elles se tenaient, elles pouvaient même voir le bouton d'appel qui clignotait.

– C'est sûrement un des profs, murmura Rajani.

Seuls les adultes, qui logeaient au quatrième étage, avaient le droit d'utiliser l'ascenseur. À cette heure-ci, ce n'était pas un élève de toute façon !

> – Et si c'est M. Meyer ? répondit Idalina, paniquée. Jazz va nous sentir !
>
> – Sortons vite.

Rajani ouvrit la porte et poussa son amie. Dans son affolement, Idalina se précipita et faillit tomber en ratant une marche du perron. Elles s'accroupirent sous une des grandes fenêtres. Rajani se redressa légèrement pour regarder. Un flot de lumière éclaira soudain le hall. M. Brown, le professeur de maths, apparut. D'un pas tranquille, il se dirigea vers la cafétéria. Avant de se coucher, M. Brown aimait boire un chocolat chaud. Il se servit au distributeur, s'installa dans un bon fauteuil et commença à lire son journal.

Idalina se retourna. Kumiko et Naïma
approchaient, le dos courbé.

> – Qui a allumé ? demanda Kumiko.

> – M. Brown, dit Rajani. Il a dû avoir envie
> d'un thé ou d'un paquet de biscuits…

Naïma leur montra la clé étiquetée
« bibliothèque ». Elle claquait des dents.
Les quatre filles avaient de plus en plus froid.
Mais elles n'avaient pas le choix. Elles étaient
obligées d'attendre dehors !

> – Jamais il va dormir ? grogna Kumiko.

> – Chut ! fit Rajani. Le voilà.

Une minute plus tard, le noir régnait
de nouveau dans le hall. Et l'ascenseur
remontait… Idalina soupira de soulagement.
Arrivée la première en haut du perron,
Rajani appuya sur la porte. Qui ne bougea
pas d'un centimètre.

> – C'est pas vrai ! gémit-elle.

> Il y a un système de sécurité !

On peut sortir, mais pas entrer !
Idalina leva les deux bras en V au-dessus
de sa tête.

– Code d'urgence, expliqua-t-elle.
Au secours !

– Vachement utile, la nuit ! se moqua
Naïma. Dommage que les téléphones
portables soient interdits dans l'école.
On aurait pu appeler Alexa.
Rajani agita sa torche dans tous les
sens. Avec un peu de chance, leur amie
apercevrait peut-être les zigzags lumineux
à travers la vitre.

– Je la vois ! annonça Idalina. Ouf... Je suis
gelée...

– Qu'est-ce que vous trafiquez ? s'étonna
Alexa en leur ouvrant.

– On joue à se transformer en glaçons,
répliqua Kumiko. Qu'est-ce que tu crois ?
Rajani leur ordonna de parler moins fort.

— Dépêchons-nous, dit-elle. Il est horriblement tard.

En silence, elles grimpèrent l'escalier jusqu'au deuxième. Elles s'arrêtèrent devant le long couloir qui s'enfonçait dans l'obscurité.

— Maintenant, j'ai la trouille, déclara Naïma.

Idalina porta les mains à sa bouche pour étouffer un fou rire nerveux. Son rire se communiqua aux autres et elles eurent bien du mal à se calmer.

Alexa avança d'un pas. Peur, elle ? Jamais ! Elle vérifia quand même que les Kinra la suivaient avant de continuer.

— On peut encore changer d'avis, dit Rajani. Non ? Alors, allons-y...

Naïma, en tremblant un peu, introduisit la clé dans la serrure. Clic, clic...

— Quel endroit bizarre, murmura

Kumiko. C'est tellement… vieux.

Tous les meubles de la bibliothèque étaient en bois précieux, des rayonnages aux tables. Il devait y avoir des milliers de livres ! Idalina fut la première à oser franchir le seuil. Elle était attirée par la gigantesque cheminée en marbre. Au-dessus, il y avait un grand miroir au cadre sculpté, certainement très ancien.

– Vous pensez qu'il y a des indices dans ces bouquins ? demanda Alexa. Du genre carte au trésor ?

– Tu rêves ! ricana Rajani. Si c'était le cas, quelqu'un l'aurait déjà trouvée ! Que ça ne t'empêche pas de lire… tout !

Idalina s'approcha de la fenêtre où se découpait la lune presque pleine. Elle s'immobilisa brusquement. Du coin de l'œil, elle venait d'apercevoir une ombre qui se déplaçait sous les chaises.

– *El gato*[11] ! souffla-t-elle, le doigt tendu.

---

11. El gato *(en espagnol) : le chat.*

En trois bonds, la petite silhouette atteignit
la cheminée. Kumiko eut juste le temps de
pointer la lampe dans sa direction. Elle ne vit
que le bout de sa queue.

— Il a disparu ! s'exclama-t-elle.

— C'est… c'est… le… le fantôme !
bégaya Rajani.

Alexa s'agenouilla sur le parquet et regarda
partout.

— Rien ! Ce n'est pas possible ! Attendez…
Il me semble que…

Elle entra à quatre pattes dans la cheminée.
Naïma l'éclaira comme elle pouvait.

– Quoi ? demanda-t-elle. Qu'est-ce qu'il y a ?

– Un trou. Dans le coin. Pas gros, mais assez large pour qu'un chat s'y faufile !

– Vous comprenez ce que ça signifie ? s'écria Kumiko, très excitée. Il y a un passage secret !

– Si c'est vrai, il doit y avoir un moyen de l'ouvrir, supposa Idalina.

Au hasard, Alexa appuya sur les briques au fond de la cheminée. Sans succès.

– Ce n'est sûrement pas aussi simple que ça, dit Rajani. Il faut chercher.

Idalina fronça les sourcils.

– Le tableau, là-bas... Il représente la bibliothèque. C'est une drôle d'idée, non ?

– Ça vaut la peine de l'examiner de plus près, décida Alexa en se relevant.

Idalina avait raison. Impossible de s'y tromper : c'était bien la bibliothèque avec sa cheminée et son mobilier en bois sombre.

– Le peintre a oublié le miroir, s'étonna
Naïma. Peut-être qu'il n'y en avait pas
avant. C'est curieux… C'est quoi, à la place ?
Ça ressemble à un lion debout… C'est un
écusson ! Vous savez, comme au temps des
chevaliers ! Comment ça s'appelle déjà ?

– Un blason[12], répondit Rajani. Vous croyez
que c'était la maison d'un prince, ici ?
Plutôt un duc ou un comte… enfin,
quelqu'un d'important !

Alexa, le nez collé au tableau, essayait de
distinguer les détails.

– J'ai l'impression que le lion est gravé
dans la pierre. Et s'il y était encore ?
Heu… Ça ne va pas être facile d'enlever
le miroir !

– Il n'en est pas question ! protesta Rajani.
Vous imaginez si on le fait tomber ?

– Il suffit de le soulever un peu, dit Idalina.

Kumiko n'hésita pas une seconde. Elle prit

12. *Blason : dessin qui symbolise une famille noble*
ou une ville.

une chaise, la porta jusqu'à la cheminée et monta dessus. Elle glissa les deux mains sous le cadre et l'écarta du mur.

– Lumière ! réclama-t-elle. Alors ?
Le lion est toujours là ?

– Oui ! acquiesça Naïma. Il est très abîmé. Je pense qu'il est super vieux.
Il y a comme un drapeau qui flotte au-dessus avec une phrase écrite.
Alexa approcha une autre chaise.

– Pourvu que ce ne soit pas du latin !
Ou du grec ! Un truc incompréhensible.
Dressée sur la pointe des pieds, elle déchiffra péniblement l'inscription en partie effacée.

– Aux… aux quoi ? gri… griffes !
C'est ça ! « *Aux griffes, on connaît le lion* ». Eh ben, ça ne nous aide pas beaucoup.

– Miaou ?

Kumiko faillit lâcher le miroir en sursautant. Les Kinra baissèrent les yeux en même temps. Un joli chat tigré les observait, tranquillement assis à côté de Naïma qui ne s'était aperçue de rien ! Et un, deux, trois adorables chatons sortirent de la cheminée.

– Oh ! s'exclama Idalina. Ils sont trop mimi !

– Notre fantôme n'en est pas un, dit Naïma. Et ce n'est pas un chat non plus. C'est une chatte !

– Elle s'est cachée ici pour protéger ses bébés, répondit Alexa. Il y a des souris dans l'école ?

– Elle n'a pas pu entrer par la porte, affirma Kumiko. C'est la preuve qu'il y a un passage dans ce mur.

– Elle a peut-être faim… s'attrista Idalina.

– N'essaie pas de la caresser, conseilla Alexa. Elle est sûrement à moitié sauvage.

– Elle n'a pas peur de nous, en tout cas, rétorqua Idalina. Il faudrait lui apporter à manger.

– Miaou ! approuva la chatte.

Rajani, qui était restée silencieuse jusque-là, prit soudain la parole.

– Ce n'est pas le même. Ce n'est pas le chat fantôme ! Il était blanc et angora ! Je ne suis pas folle, je n'ai pas d'hallucinations et j'ai une très bonne vue, merci !

– Te fâche pas, dit Kumiko. On te croit !

– Il est 1 heure du matin ! s'affola Naïma. Aïe, aïe, aïe ! Et il faut encore remettre la clé à sa place !

La chatte attrapa un de ses petits par la peau du cou et le transporta jusqu'au fond de la cheminée. Elle le posa par terre et appela les deux autres avant de se glisser dans le trou. Un par un, les chatons disparurent à sa suite.

– C'est drôle, remarqua Idalina.

C'est comme si elle avait compris qu'on doit partir.

La lune, lentement, descendait vers l'horizon. Bientôt, l'obscurité totale régnerait dans la bibliothèque. Les Kinra rangèrent les chaises devant les tables et quittèrent les lieux.

Vingt minutes plus tard, tout le monde était au lit.

Cheval, chat, tigre et lion

M. Meyer écoutait les messages sur son répondeur quand Miss Daisy frappa à sa porte. Il éteignit la machine.

– Hum… fit l'assistante, il y a… hum… un petit problème…

– Bonjour, miss Clark, répondit M. Meyer.

– Comment vous saviez que j'étais là ? demanda Alexa.

– Oh, dès que j'entends le mot

« problème »... Alors, c'est quoi, cette fois ?

– Alexa s'est endormie pendant le cours de maths, expliqua Miss Daisy.

– Encore ! s'exclama le directeur. Qu'a donc fait ce pauvre M. Brown pour mériter ça ?

Alexa pensa au chat fantôme.

– Ce doit être une malédiction, dit-elle.

– Sûrement ! Je reconnais que c'est ma faute. Je n'aurais jamais dû te renvoyer en classe aujourd'hui. Il est évident qu'il faut que tu te reposes. Disparais avant que je ne change d'avis !

– Oui, m'sieur. Merci, m'sieur !

Alexa se dépêcha de filer. Dans le hall, elle se mit à rire. Non seulement elle échappait à la punition, mais elle n'était pas obligée de retourner travailler ! Elle profita de l'occasion pour sortir. Pendant le petit déjeuner, les Kinra avaient discuté à voix basse. Il était évident que la chatte tigrée avait trouvé un moyen pour entrer dans l'école. Mais lequel ?

Alexa longea le bâtiment en cherchant un trou entre les pierres ou une fenêtre mal fermée. Sous les baies vitrées du réfectoire, elle remarqua plusieurs ouvertures au ras du sol. De solides barreaux interdisaient le passage. Alexa s'accroupit pour regarder. Une cave. Elle aperçut des coffres et des malles, des objets cassés comme des lits ou des chaises. De grosses caisses étaient empilées juste en dessous du soupirail. Aucun doute : un animal pouvait facilement se faufiler par là. Restait un autre mystère : par où la chatte était-elle montée pour arriver jusqu'à la cheminée de la bibliothèque ? Kumiko était persuadée

qu'il y avait un escalier caché. Possible…
Malgré tout, Alexa avait du mal à croire
que personne n'ait jamais découvert pareil
secret avant… une bête !

Elle se redressa et grimaça. Ouh… Son épaule
était douloureuse. Elle bâilla. Quelle nuit !
Aller se coucher lui parut une bonne idée.
Elle plaignait ses amies qui, à cette heure,
devaient lutter contre le sommeil dans
la classe de Mme Beckett.

Avant de regagner sa chambre, Alexa décida
de rendre visite à Nelson. Elle s'inquiétait
pour lui. Le vétérinaire l'avait drogué, le
malheureux ! Comme chaque matin, Rainer
s'occupait des chevaux au pré. Il vit Alexa
s'approcher et l'appela.

— Bonjour, Alexa.

— Comment va Nelson ?

— Enragé, répondit Rainer. Donc, comme
d'habitude ! Il se remet bien.

– Des nouvelles de la police ?

Rainer s'appuya à la barrière. Et, à ce moment-là, ses yeux lançaient des éclairs.

– Tu te souviens de ce que je t'ai raconté au sujet de Nelson ?

– Son maître le battait. Et il voulait s'en débarrasser !

Rainer acquiesça. En effet, l'Académie avait racheté le cheval pour le sauver d'une mort certaine. Or, la semaine dernière, l'ancien propriétaire avait menacé Rainer de lui faire un procès. Il prétendait qu'on l'avait volé ! Pas de chance pour lui, il avait signé un contrat de vente. Il ne pouvait pas obliger l'école à lui donner plus d'argent.

En repartant, il était furieux.

– Il s'est vengé en libérant Nelson ! s'écria Alexa. Vous l'avez dit à la police ?

– Évidemment. Encore faut-il prouver qu'il est coupable… Malheureusement,

la pluie a effacé les traces dans le bois.
Il n'y avait que quelques empreintes de
bottes dans l'écurie. Ce n'est pas suffisant
pour arrêter ce minable.

– On ne va pas l'envoyer en prison ?
C'est dégoûtant !

Rainer haussa les épaules. La vie n'était
pas juste. Les méchants n'étaient pas
toujours punis et les gentils, pas toujours
récompensés.

– En tout cas, dit-il en serrant les poings, je
ne lui conseille pas de traîner dans le coin.

Alexa pensa qu'il valait mieux ne pas mettre
son professeur en colère. Il était capable
de vous écraser comme une mouche !

***

Alexa rejoignit ses amies au réfectoire à
l'heure du déjeuner. Les Kinra somnolaient
à moitié. Elles étaient épuisées. Alexa leur

rapporta sa conversation avec Rainer puis, à mi-voix, parla du soupirail.

– Il y a sûrement un trou dans le mur de la cave, supposa Naïma. Comme dans la cheminée.

– S'il y a des caisses devant, remarqua Idalina, ça expliquerait que personne n'ait rien vu. Oh ! Je suis crevée... Et je dois chanter, cet après-midi ! L'horreur.

– Tais-toi ! gémit Rajani. J'ai l'impression d'avoir des jambes de plomb. Un éléphant en tutu serait plus gracieux que moi ! Pas question de recommencer nos... vous voyez quoi.

– Mais il faut y aller ce soir, murmura Kumiko, si on veut trouver le passage secret.

– Tu plaisantes ? répondit Rajani. Je n'arrive même pas à soulever ma fourchette !

— On a fait une erreur, déclara Alexa.
On n'aurait pas dû se promener la veille
d'un jour de classe. La prochaine fois, on
choisira un vendredi ou un samedi. Voilà !
Et maintenant, je vais me coucher !

— Je te hais, grommela Naïma.

— Comme dit Rainer, la vie n'est pas juste !
ricana Alexa.

Kumiko était bien contente d'avoir un cours
de dessin. Ça, au moins, ce n'était pas trop
fatigant... Et Maître Wang, son professeur,
était si gentil !

Comme toujours, le vieil homme accueillit
ses élèves en s'inclinant devant eux. Chacun
à son tour lui rendait la politesse de la même
manière. Maître Wang s'assit sur un haut
tabouret.

— « *Kanmao huahu* ». Ce proverbe chinois
signifie : « Peindre un tigre en regardant
un chat ». À votre avis, mes chers

disciples[13], quel en est le sens ?

– Le chat est un bon modèle quand on souhaite dessiner un tigre, proposa un garçon. Ce sont des félins, ils se ressemblent. En regardant l'un, on comprend l'autre !

Maître Wang hocha la tête.

– C'est intéressant.

La main de Kumiko traça une ligne courbe sur sa feuille de papier. Elle imaginait la chatte de la bibliothèque.

– Eh ben, moi, je ne suis pas d'accord ! lança-t-elle soudain. C'est une erreur de croire qu'ils sont pareils !

– Bravo, disciple Kumiko ! rit Maître Wang. Ne prenez pas le tigre pour le chat, sinon vous passerez à côté de ce qu'il est vraiment. Si vous n'aviez droit qu'à un seul mot pour décrire le tigre, lequel choisiriez-vous ?

Tout le monde cria « les rayures » !

— Et le chat ?

Kumiko leva sa feuille et la tourna vers son professeur.

— Je n'ai pas de mot, juste un trait.

Maître Wang plissa les paupières. À la grande surprise de sa classe, il applaudit.

— Un trait plutôt juste, disciple ! Je vois là la forme d'une oreille, ici, l'arrondi du dos et enfin le balancement de la queue ! Il n'y a presque rien et pourtant, il y a presque tout ! Voici l'exercice de ce jour. Cherchez ce qui représente le mieux un animal, comme les pinces du crabe ou les taches autour des yeux du panda, puis peignez-le en quelques coups de pinceau.

Kumiko hésita puis se décida à poser la question qui lui brûlait les lèvres.

— Ça me fait penser à un autre proverbe. « Aux griffes, on connaît le lion ».

Je ne sais pas s'il a le même sens.

Maître Wang réfléchit un instant.

– Hu, hu... Les griffes du lion sont uniques.

C'est un tout petit détail, mais c'est

suffisant pour reconnaître l'animal à qui elles appartiennent. Exactement comme les empreintes digitales ! C'est bien peu, pourtant c'est grâce à elles qu'on attrape les assassins. Alors, je dirais que ton proverbe signifie qu'il faut observer une chose avec beaucoup d'attention pour découvrir sa vérité cachée.

Kumiko préféra ne pas insister et se concentra sur son travail. Elle aurait volontiers embrassé son professeur ! Car maintenant, elle était sûre d'avoir tout compris. La phrase cachée derrière le miroir était un indice. Il fallait suivre la piste... la piste des griffes du lion !

***

Cette nuit-là, Rajani se redressa brusquement dans son lit. Elle avait entendu... un miaulement. Elle frissonna puis haussa

les épaules. Elle avait rêvé, évidemment !
Elle s'allongea de nouveau et prit Atman,
son singe en peluche, dans les bras. Trop
de questions lui tournaient dans la tête.
Kumiko avait-elle raison à propos du lion
de la bibliothèque ? Était-ce une piste qui
menait à un trésor fabuleux ? Et si tout ça
était... vrai ? Rajani ne réussit à se rendormir
qu'à l'approche de l'aurore. Les premiers
rayons du soleil éclairèrent les fenêtres
de l'Académie Bergström. Dans les couloirs
déserts, un chat blanc trottinait. Puis
soudain disparut. À son cou brillait
une clé d'or.

* * * * * *

Dans le prochain tome...

Les Kinra girls continuent leur enquête.

Pourront-elles faire confiance au chat fantôme ?

Ne devraient-elles pas plutôt suivre les traces du lion ?

L'Académie Bergström n'a pas encore dévoilé
tous ses secrets !

* * * * * *